麦ばあの島

MUGIBAA no SHIMA

4

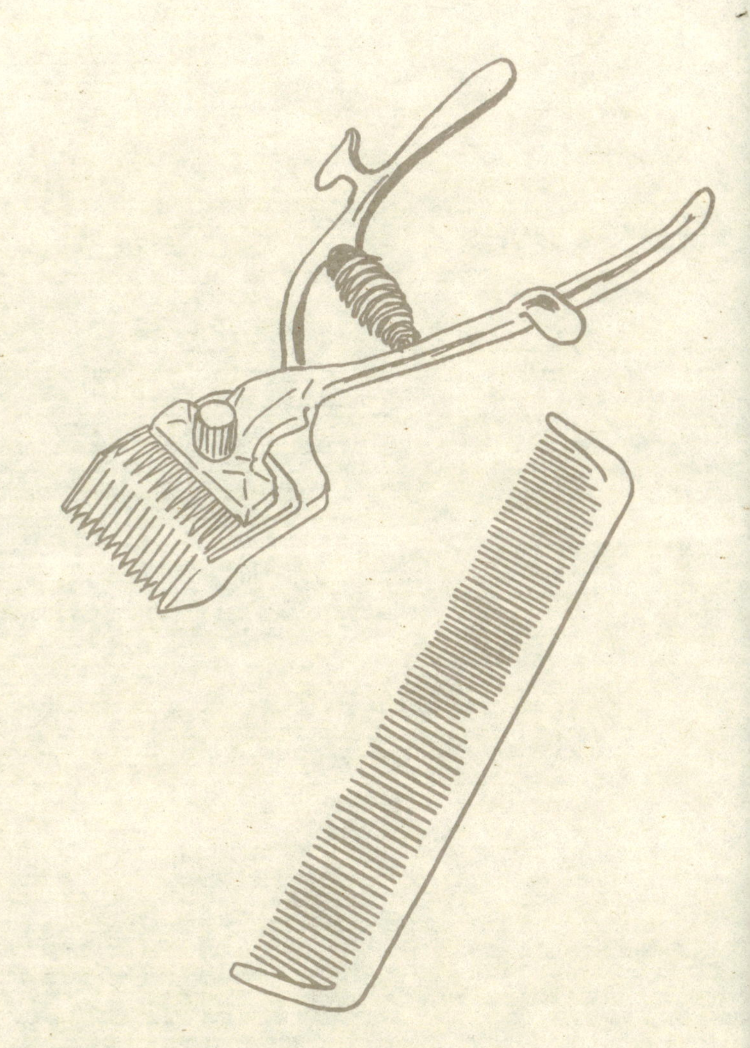

麦ばあの島

第4巻

古林海月 著者

鹿児島県生まれ。2003年「夏に降る雪」で『イブニング』からデビュー。著作に『米吐き娘』シリーズ、『わたし、公僕でがんばってました。』(いずれもKindle版)などがある。
公務員時代に仕事でハンセン病療養所・邑久光明園を訪問。その後も入所者・退所者らと交流を重ねながら本作の執筆をつづけてきた。

登場人物

上原麦

大正12年生まれ。病気の後遺症で右手が麻痺変形しているが、現役の理容師。

実

麦の弟。

ヨネ

麦の姉。母の失踪後、母代わりになって麦と実の面倒をみてきた。

麦の祖母

麦の父

姫路の貧しい農家。

カナエ

麦の母。麦が幼い頃に失踪。

小林聡子
昭和51年生まれの短大生。麦と出会い、
投げやりな生き方を改めるようになる。

しおり
聡子の腹違いの姉でよき理解者。
教職のかたわら、ひそかに不妊治療中。

マキ
麦があこがれ弟子入りした美容師。

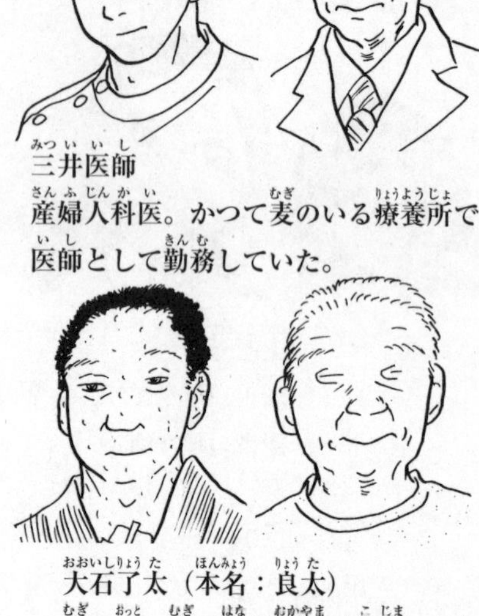

三井医師
産婦人科医。かつて麦のいる療養所で
医師として勤務していた。

大石了太（本名：良太）
麦の夫。麦と離れ岡山の小島にある
療養所で暮らす。趣味は釣りと酒。

恵子
麦の療友。京都の裕福な呉服商の一人娘。
病気の影響で目が見えないが、口は達者。

ベル

麦の近所の人
ベルの飼い主。

第22話　美容師マキ

ピーロロロ…

ぱちん
サロン 麦

カラ ラ…
寒うなったね 聡子ちゃん
うーん…
ブナンな紺か黒か
サーモンピンクって柄やないし
Nan Nan?
12月号
聡子ちゃん
あ ゴメン 麦ばあ 何？

聡子ちゃんが就職して遠くに引っ越したら今までみたいに遊びに来てもらえんなあ
えーー
新幹線で日帰りできるし時々顔出すよ
コトン

ほな 実家にもそないしいよ
うっ……うん

制服もやけど仕事は気に入りそう？

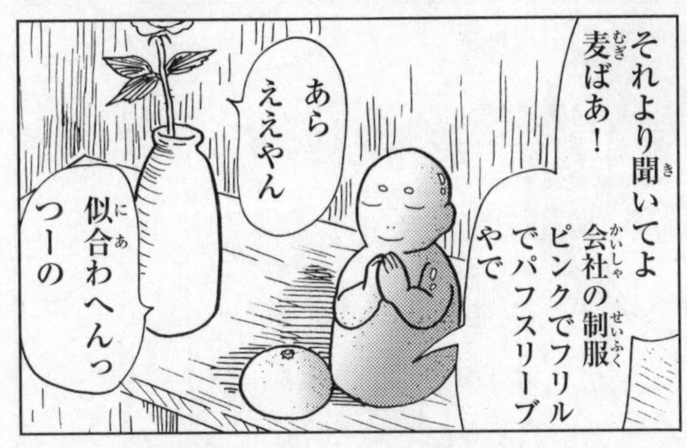

それより聞いてよ麦ばあ！
会社の制服ピンクでフリルでパフスリーブやで
あらええやん
似合わへんっつーの

よーわかれへん

そういや麦ばあは何で美容師になったん？
親も美容師？
ううん

あれは四歳の時
家族でゆかた祭りに行ってね
製氷

あの人おしゃれやなぁ
あ あの人も
むーぎー 足もと見ときよ
そうやでまた転ぶで

ほら 三つ編みのお団子 帯もきれい
麦
あめ 買うたげるから
あごんり

麦 ほら あめ……
あら 麦は？

ったく、あのポンポコピーは…
わしが探す カナエはここにおれ 無理したら腹の子にさわるで

すいません
私も探す！

マキ美容室

断髪やであの人
切ったり縮れさせたりようせんわ
髪は女の命やのに

あの機械で頭に電気流すんやろ
こわー

麦おった！
何しよん？
むーぎ！
お父さんもお母さんも心配しよんで
あっコラ！
たッ
防火用水

ガラララ
いらっしゃいませ！

えっ

な……
なあに？
お嬢ちゃん

髪の毛……
なんで
くるくる
しとん？

パーマネントよ
巻いた髪を
この機械で
セットするの

麦
ほら
行くで

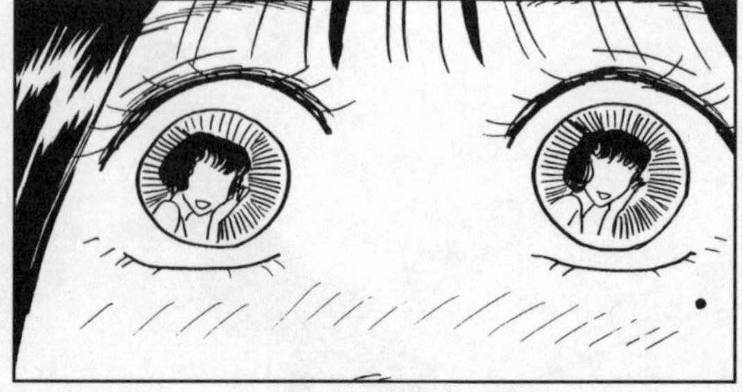

麦も
やりたい
麦も
くるくる
して！

何を
言うとん!?
すいません
この子まだ
子供で
子供って……

麦ちゃん

大人になったら
またいらっしゃい
きれいに
してあげる
から

麦！
しつこいで
うんと
頼んでも
あかんか？
ガタ
ガタタ
そ……
そうね　うちも
商売だから
みしっ

お願い
おばちゃん!
ひぃっ
おっ……

商売の
じゃまよ!

クス
あきらめ
たん?
タン…
お祭りでも
見てるうちに
気がそれる
でしょう

マキ美容室
な
無茶いわんと
あきらめ

麦?

おばちゃん
むぎ
おばちゃーーーん
おばちゃんてばーーー!
ブシッ
カラララ
お願い
くるくるして!

ピシャ
麦

ごめんなさい
麦はばかで
わがままで
おねしょも
するけど
悪い子や
ないんです

流さん
といて――
頭に電気

カァー…
カァー…

カラ
ララ…

火防
えっ
あれ？
あ……
あのスットンキョーな声は
今のが麦か!?
きゃ――っ
だだだだ
狐か狸に
化かされたみたいや

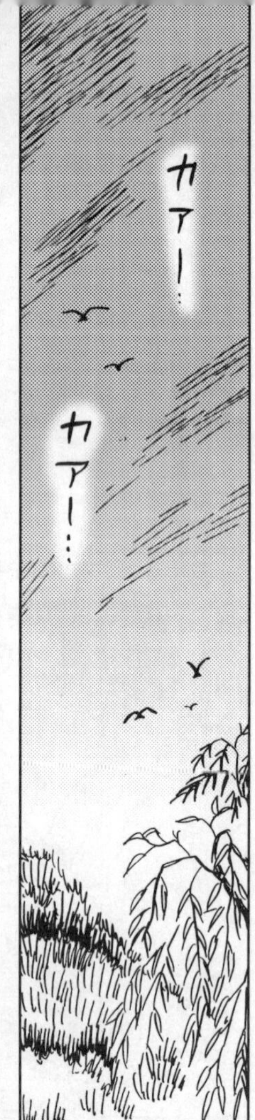
カアー…
カアー…

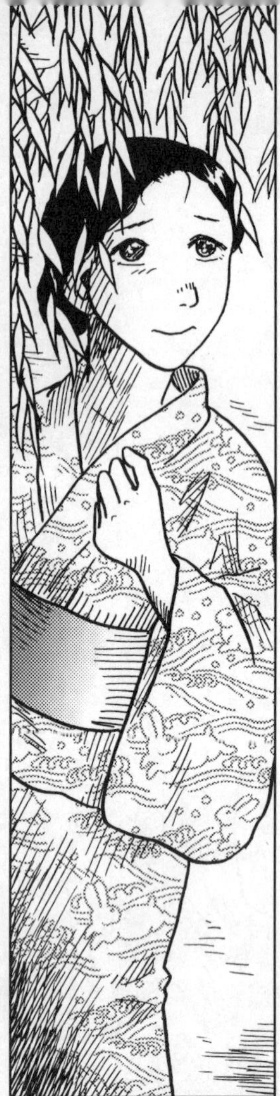

迷子のおしらせです
上原麦ちゃーー
慢自どの

ふう……
麦……

お母さん

ヨネ！麦!!

麦!?
麦おったん——
何やその頭は!?

どこでしてもろうたん？お金も持たせてへんのに
ええと…

とにかく帰るで話は道々聞くわ
ええーもう!?

麦のせいでお祭りどころやなかったわ
こら麦
聞いとん!?

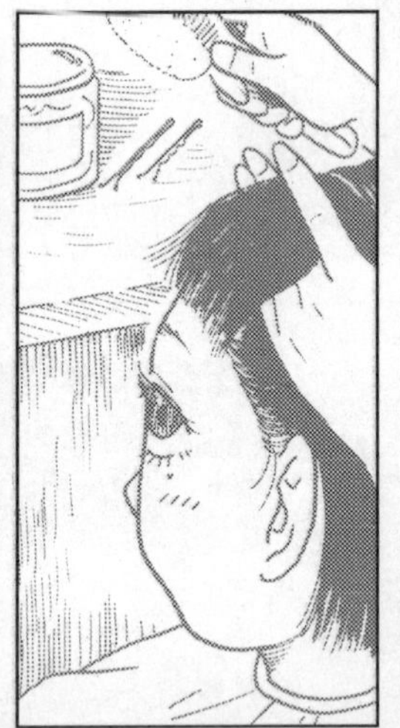

昭和十五年
チュン…
チ…
チュン…

おばあちゃん先に行っとくで

麦
本町の医者に神経痛の薬もろてきてか
アイタタタ…
大丈夫!?
すぐ行ってくるね

そば
酒まんじゅう
八百万

店員急募
マキ美容室
おばあちゃんも年やな……
あれ？

あの時の美容師さん

ダイオン
はみがき
タッ

ゲコ
ゲコ
ゲコ

ゲコ
ゲコ

麦な 大きゅう なったら 美容師に なるの

そうか 楽しみや なあ

カキ…
美容師 かあ

本町なら家から通えんこともないな
…何？麦姉

ゲコ
ゲコ
ゲコ
ゲコ
何でもない！
何やそれ

ココュ…

おばあちゃん薬まだある？
次はいつ病院にとりに行けばいい？
こがいな物貼るわけやなし毎日次いうてもなあ

なくなる前に言うてね私がとりに行くから
何やこの前行ってきたばかりやろ

あうんそやけど念のためにな
…ふうん

はっ
はっ
カタカタタ
はー！
はー！
マキ美容
キュ…
あら あなた この前も…… 麦ちゃんでしょう
ええっ
お…覚えててくれはったんですか？
客商売ですもの
さ お入りになって

麦も
くるくる
して！

約束どおり
来てくれて
うれしいわ
今日はいかが
なさいますか
今は禁止令が
出ていて
パーマネントは
できないけど

いえ
そうじゃ
なくて
マキ美容
あの……

やっぱり
その一…
預かってる物があるのよ

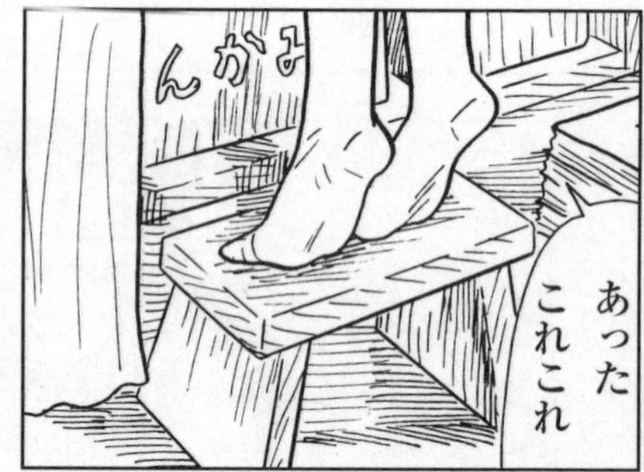
あった
これこれ

カサ…

お返しできてよかったわ
大事な物なんでしょう？

これ……
何でここに？

あなたが店に来た翌年のことよ

カタン
いらっしゃいませ！
あの……

ゆかた祭りのときに
娘の麦がこちらでたいそうお世話になりました

粗末な品ですがお礼にこれを

そんな私うれしかったんですよ
麦ちゃんあんなに喜んでくれて
それはもう幸せそうで

あれは見栄や損得抜きに
純粋に「きれい」を求める気持ちよ

シャッ
お礼なんていいって言ったんだけどね

母のいっちょうらの肩かけです
あれから何度かこれで美容師ごっこしたのに
いつのまにかなくしたって…

麦はほんまに髪をいじるんが好きやなあ
うん!

あの……

ここで働かせて
もらえませんか

うちは
厳しいわよ
あこがれの
美容師に
なれる
天にも昇る
心地やったわ

へえ〜

麦ばあも
小さい頃は無茶
しよったんやな

けど　美容師に
なりたかったのに
なんで理容師？
客層が
違うやん
右手がマヒしてて
細かいパーマとか
できひんさかいな

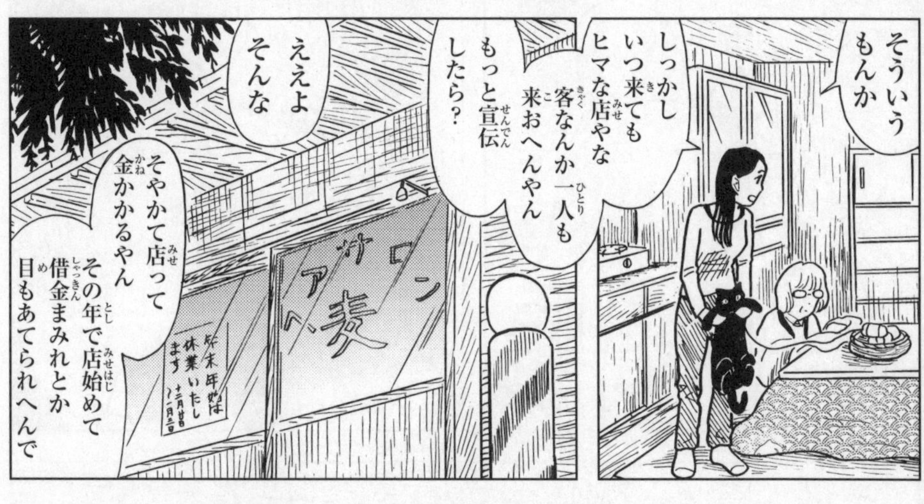
そういう
もんか
しっかし
いつ来ても
ヒマな店やな
客なんか一人も
来おへんやん
もっと宣伝
したら？
ええよ
そんな
そやかて店って
金かかるやん
その年で店始めて
借金まみれとか
目もあてられへんで
サロン
アヘ
麦
年末年始は
休業いたし
ます

借金はないんよ
土地建物は
知り合いが安く
貸してくれたし
道具はマキさんが
迷惑かけたのに
ゆずってくれて
だからムリせんでも
なじみの客が時々
息抜きに来て
喜んでくれたら
十分よ

だってさー
せっかく夢をかなえて
好きな仕事しとんのに

麦ばあ いっつも
さみしそうやん
ぱた

ぽん
ありがとうね
聡子ちゃん

ちょー
子供扱い
せんとって!
うふふ

そや
カットモデル
やれへん？
パーマでも
ええで
げっ
恵子ばあが
やってたアレ!?
電気クラゲ
みたいな

盆暮れ
パーマ
……いや
ええよ
またブレーカー
飛ぶとあかんし

ほな
顔剃りは？

えー
あはは
あたし
ヒゲなんか
生えてへんで

まあまあ
そう言わんと
ちょ……
麦ばあ

剃るんは
美容師には
できひんのよ
理容師だけ
ふーん

化粧のノリが
全然違う
はー

んもー
メイク直すの
大変──
おお⁉

やっぱ
このままじゃ
あかんわ
あたしが何とか
したらんと

え
なあに？
別にぃー

第23話
美容師修行

昭和十五年
姫路
はっ
カタ
カタ
カタタ
ガラララ
マキ先生！
遅うなってすみません

は
は

麦さん
何ですか
その姿は
美容師は
身だしなみが
肝心よ

ハイ！気をつけます!!
フフ…元気やねえ
元気はいいんですけどね

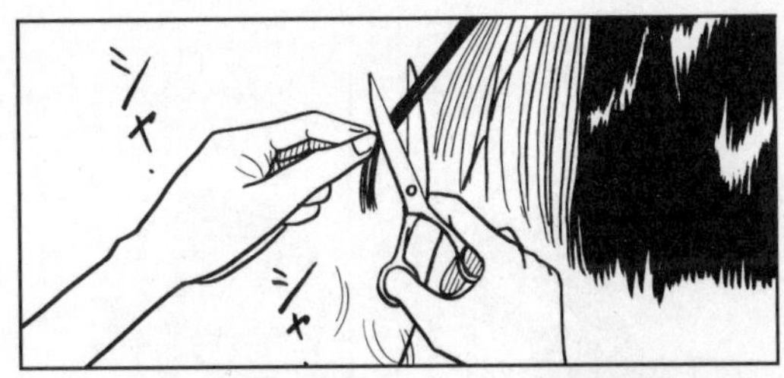
シャ
シャ

サッ

麦さん
シャ
シャ
シャ
シャ
STERILIZER

麦さん
表にお客様よ！
あ ハイ！

ガラッ
いらっしゃいませー！
びくっ
あっあの
断髪ってこのお店でもしてもらえますか？

もちろんですさどうぞ
マキ先生の腕は姫路いちですよ

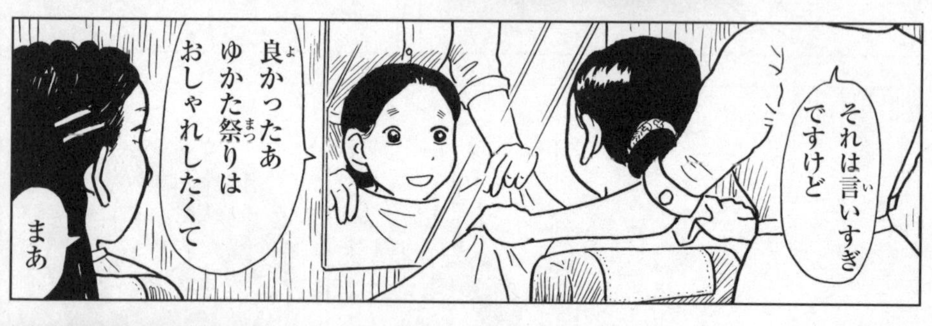
それは言いすぎですけど
良かったあゆかた祭りはおしゃれしたくて
まあ

女の命の黒髪を切るなんて
昔は尼になる時か棺桶に入る前やと言うたもんや
そんな…

やめといた方がええで姉ちゃん
こちらの髪型なら浴衣にもお似合いですよ
そない言われるとどないしよ…

麦さんお客様に無理じいは良くないわ
でも

きれいになりたいのはみんなの夢やないですか
あきらめんといてほしいです

……
ほなお願いします

カアー
カアー

ありがとう
ございます

おうちの人
どんな顔する
かしらね

ゲコ
ゲコ
ゲコ
ゲコ
ゲコ

麦は遅いなぁ
晩飯の仕度もせんと
どこほっつき
歩いとんねや
実 何か
きいて
へんか？
本町に神経痛の
薬を買いに行か
せたんやけど

う…
ううん

実ちゃん
一生の
お願い！
お父さんと
おばあちゃん
には内緒に
しとって!!

刃物持っとる者に
背え向けて髪切ら
せるって
私のこと
嫌いやないし
信用してくれ
てるからやろ

髪を任せてもらえるんがうれしいねん
ふ…

道にでも迷っとんちゃう?
麦姉どんくさいし

それにしても遅すぎんか
イタチに化かされてたりしてな
ケガでもしとったらあかんし
迎えに行くか

ガララ…
ただいま…
心配せんでも帰ってきたで

麦神経痛の薬は――
げっ

…薬？

こ…この
アホンダラが!!
ガツ

ゲコ ゲコ
ゲコ ゲコ

いてて…おばあちゃんたら
あんな力が出せるんなら 神経痛の薬なんかいらへんわ

パーマネントもええけど断髪もええなあ
頭も気持ちも軽うなるわ
そういうもんけ

実もまた散髪しよな
えっ オ オレはまだええで

フン
フフン♪♪
カタン
あ
今朝もオレの弁当落としたな 大丈夫か美容師
手がすべっただけですぅ
その年 病気がみつかった
ピッ
ピ
ほら あの子の母親もやろ
ああ あったな 赤いアザ

麦姉
岡山の病院に行くってほんまか？

麦姉
病気なんかさっさと治して
早う帰って来いよ

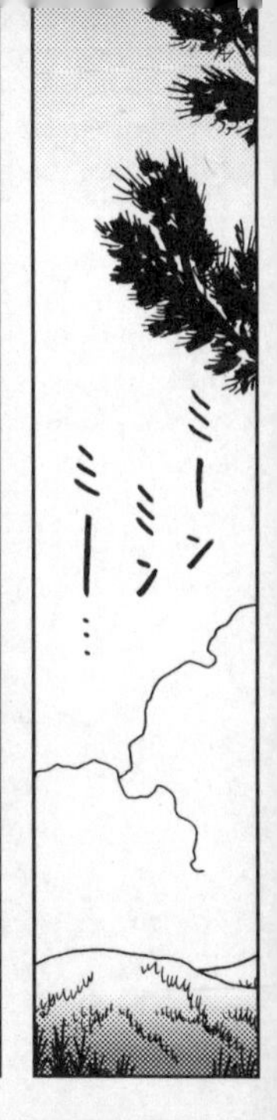
ミーン
ミン
ミー…

カタン

ばあちゃん
それ麦姉の…

ガシャッ

麦は
死んだんや
あんたらの
母親と
同じように

ボーン
ボーン
実 早うせな 学校に遅れるで

…行きたない

何言うとんねん わしの小さい頃なぞ 田畑の手伝いで
学校に行きとうても 行かれへんかったんやぞ

無理ないわ かわいそうに
行く先々で 病気のこと 言われたらな

病気は カナエと麦 だけやんか
他人には 同じ事や

伝染病やとか 汚いとか言うて 病人が出てった 後も消毒されて
同じ家に 住んどったら 病人同然や

全く
ただでさえ食いぶちが足りんのに
ヨネまで離縁されて戻ってきて
おばあちゃん
ゴクツブシの米が搗けたで
何やヨネ裏におったんやないんか
こん位の米すぐ搗けるわ
姑やご近所の顔を思い浮かべればな

姑殿に業わくんはわかるが
迷惑かけたんはこっちゃで
そない言い方したら麦が帰り辛いやん

かっ帰ってくるんか!?
いやまだやけど

あの二人とは縁を切らな
一人息子の実に嫁の来手がないで

上原家が絶えたりしたら
ご先祖様に申し訳ない

ふぅ…

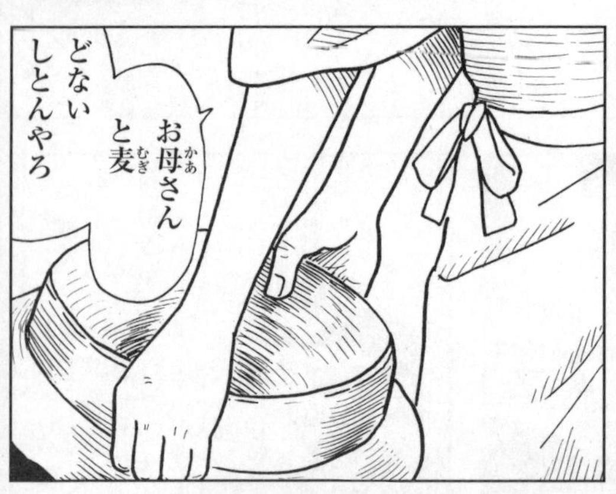
お母さんと麦
どないしとんやろ

カラン
カラン
さいなら－

農繁休暇
六月一日ヨリ十日迄
ガタン
おい 実 オレの机にさわんなや

友情
友情
友情
友情
友情
友情
お前も早う学校やめて病院行けや
こないな病気がうつったらどないすんねや
もう学校来んな
いとん
ガタン
帰ろ帰ろ
バイキンがおったら掃除しても意味ないで
さっちゃん帰らへんの？
う…うん帰る

ザク
ザク
ワーだだだだだ
あっ
バイキン
何つ
パーキッ
村から出ていけ
ビュッ
ガッ
出ていけ
うつるぞ
撤退!!

かってー
くーるぞっと
いっさまっ
しくーーー
カナ
カナ
カナナ…
カナ
カナ…
さちこ
回覧板
回してきて
はーい

近道だからって上原さんちの近くを通らんのよ
カララ…
タン
はーい
はー…
はー…

カッ
カッ

しゅっ

麦姉 そこ入ったらあかんねんで おばあちゃんが言うてたやろ

みつかってもうたな
実ちゃんもおいで!

実ちゃん

実ちゃん
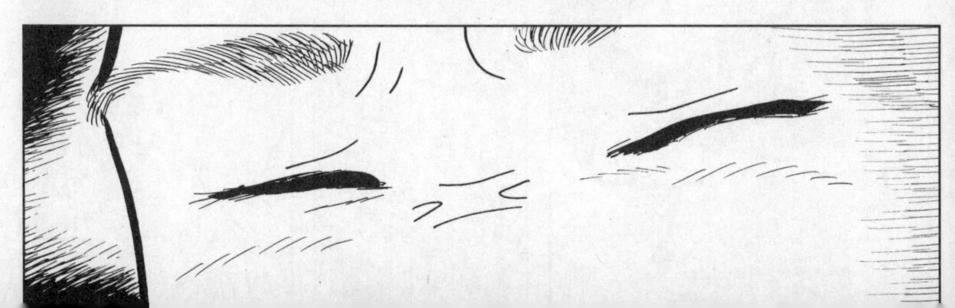

オレは違う
そんな病気やない！
こんな村うんざりや
こっちから捨ててやる
カァ
カァ
家を出る？

出るって…
あんた何を
いきなり

いきなりやない
ずっと考えてた
ひとまず神戸の
伯父さんちに行く

兄貴は日雇いやし
小さい子が三人もおる
他に養う
余裕ないで
もちろん
働くんや
住みこみで
働いて自分の
稼ぎで
食うていく

何言いよん
こないだ
まで
おねしょ
しよった子が

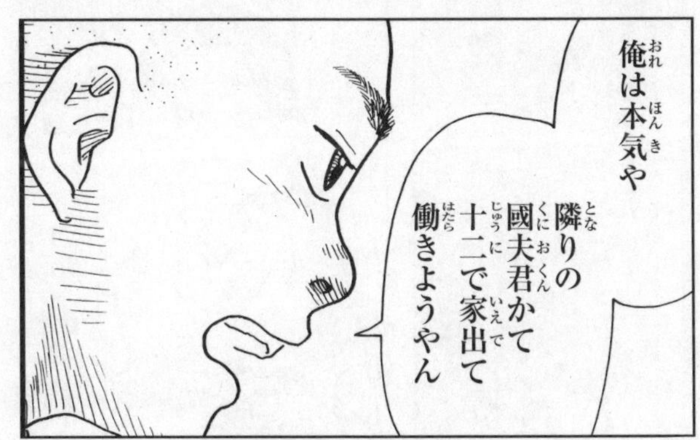
俺は本気や
隣りの
國夫君かて
十二で家出て
働きようやん

そないしい
実はよそへやった
方がええ
けど学校は

勉強したかったら
夜学があるやろ
働き口は私が
知り合いに
頼んだる

実
ほんまに
それで
ええんか？

リーン
リーン…
リーン…

シャキ
シャキ
美容師になっても実ちゃんの頭は特別に半額で刈ったげるな

ええー麦姉身内から金とる気？
フフ…
タダより高いもんはないねんで

大きゅうなったらヒゲもそるし
理容師の修業もしとこかな
ヒゲぐらい自分でそるがな

床屋って
なんぼするんやろ

ギシ
実
そんなにこの家がイヤか？

貧乏な百姓より町で稼ぐ方がええやんか
けどあんたまで出てったらこの家空っぽになるやん

ええやん
それで
オレがごっつう
稼いで偉うなって
皆で引っ越せば
そんな
自分が生まれ
育った家と
村やで？

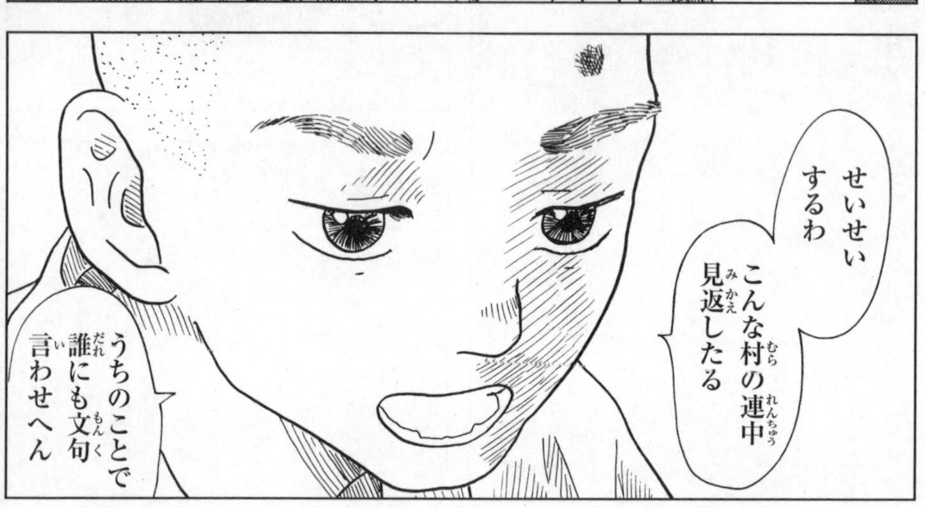
せいせい
するわ
こんな村の連中
見返したる
うちのことで
誰にも文句
言わせへん

昭和十六年
三月
実　体に気ぃ
つけるんよ
生水は
飲んだら
あかんで
あんたはお腹が
弱いさかい
ちゃんと私が
編んだ腹巻き
を——
ヨネ姉　もう
わかったって！

そやかて
あんた
まだ十四やのに

ほな 行って
参ります
皆さんお達者で

お父さんも
一言――って
ちょっと
お父さん！
どこ行き
よん!?
ワシ
こういうの
苦手やねん

……気ぃ
つけてな

カタタッ

＊正月、盆の16日前後に、若い奉公人が休みをもらって実家へ帰ること。

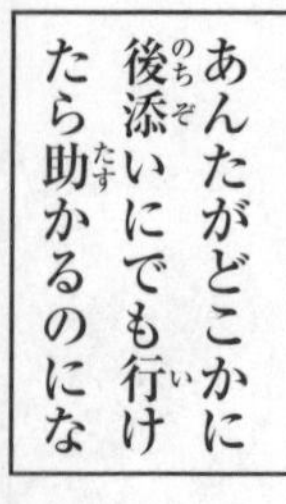

おい
実
今年も姫路に
帰らへんのか
親父さんの
初盆やろ
いいんです汽車賃
もったいないですし

へー
上原さん
姫路の人？
姫路の
どこですか

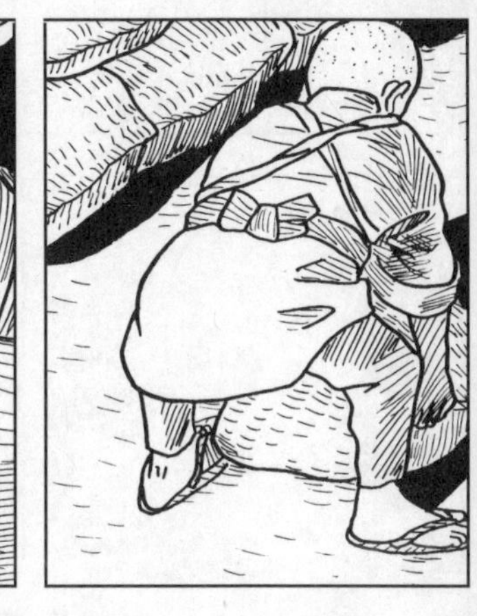

えーでも
姫路なら
半日で帰れ
ますやん
お城のすぐ北の
団子屋知って
はります？
…めっちゃ
山ん中や

そこオレの
じいちゃんが
働いてるから
行けばお茶ぐらい
ーねえ
上原さん
ジーワ
ジワ
ジー…
昭和十八年
夏ー

実
お店ではようしてもろとうか？
忙しいみたいやけど たまには戻ってきいよ
背え伸びたなあ
ヨネが仕立てた着物
あとで着てみいな
うん

ばあちゃん
こっちの新しい位牌は誰の――

――いや
何でもない

ようけおあがり
あんたはこの家の後継ぎやさかい

第24話　麦の弟

ウィー…
ガッチャ
ウィー…

よし
こん位でええか
トン
トン

聡子 徹夜したん？
あ ゴメン 起こしちゃった？
今から配ってくる プリンタありがとね お姉ちゃん

勉強もあの位頑張ればねえ
ピピッ

お客さんいっぱいきたら
麦ばあびっくりするぞお

ピラ

白ツバキ牛乳
パサ

麦ばあの店が二丁目だから一丁目までは配っとこか
三井産婦人科
ぱるるる…

キャワン
キャワン
ちりりん
カラン
ギャワン
UEHARA

げっ

キャワン
キャワン
ベルー
チリリン
カラン
コロ
コロ
キャワー
誰か来たん?
やべっ
あ そや

聡子 明日チラシ配りに行くんやろ
これ麦さんにお土産
千代ちゃんにやな

焼きササミ!
パーン♪
パカ
パン
焼きササミ

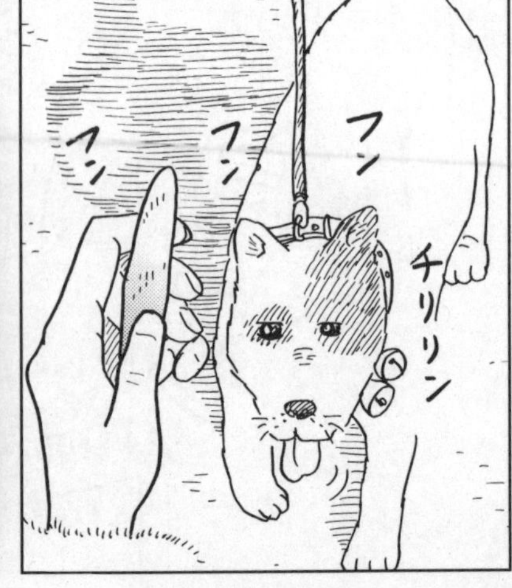
フン
フン
フン
チリリン

ふぅ…
パサ
はふ
はふ

はっ
はっ
チリリン
ベル
バイバイ
ガチャッ
ベルーー
郵便？

へっ
へっ

晩ごはん
まだやで
キュウ〜〜ン
さ あと
百枚は
配ろう

パタン
カタタ

夕刊 ここに
置いとくで
んーー

ん？

どないしたん？
パサ
何でもない

ガガ…
一丁目子供会よりお知らせします
もう五時になりました
外で遊んでいる人は早くおうちに帰りましょう
くり返します
ぐおー…
ぐおー…

カタン。。
とーおきー やーまにー ひーは おーちてー
麦姉 そこ入ったら あかんねんで おばあちゃんが言うてたやろ
みつかって もうたな
実ちゃん
実ちゃんも おいで!
実ちゃん

実さん！
ベルの散歩行ってきて
んごカっ

これ以上太ったらあかんから一日一時間は歩かしなさいって獣医さん言うてたで
むぅ…
実さんもまた住民健診でひっかからんよう運動せな
犬と一緒にするな
ヘッ
ヘッ

おい
そっちと違うやろ
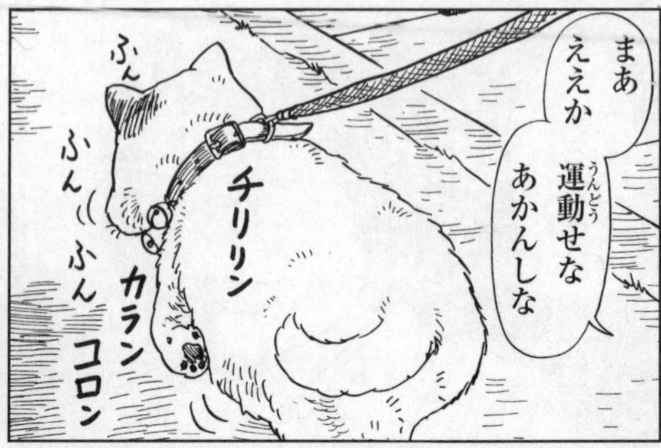
まあええか
運動せなあかんしな
ふん
ふん
ふん
チリリン
カラン
コロン

CLOSED

チリリン
ふん
ふん
YAKISASAMI!

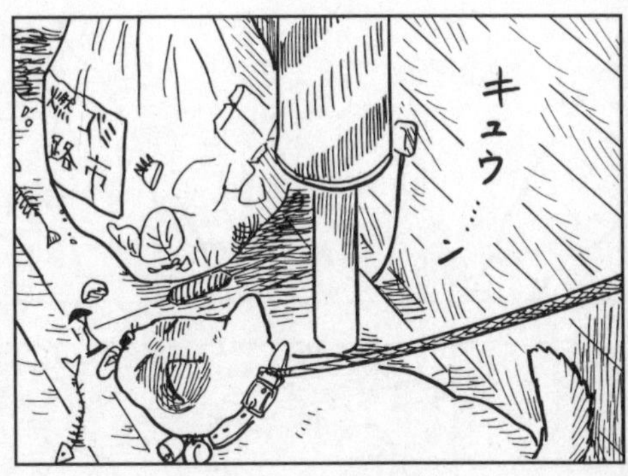
キュウ……ン

ゴミやんか
お前 こないな物
探しよったんか

CLOSED

……まさかな

おい 帰るで
カランラン
麦ばあの
お人好し！
警察に届けな
あかんやん

ええんよ
聡子ちゃん
誰かまちごうて
置いたんやわ
チリリン
カラン
キャワワン
キャワン
あれ？
ベル……？
何やあの
オッサン
あいつが犯人
ちゃうん？
キュウーン
チリリン

もうええよ
聡子ちゃん
えー
何で

…そりゃ
警察ざた
なんて
いやだもの

けどな
お姉ちゃん
そのゴミ
一丁目の家の
ハガキが
混ざっとってん

ゴミは拾って
きたんかも
つーかアンタ
ゴミまで
あさったの？
そういうコソクな
人間は　用意周到
なもんやで

そういえば
こないだね

たき火
麦ばあ
焼きいも？
麦ばあ
ひっ
さ
聡子ちゃん
久しぶり
やね
うん
ザッ
ザ…
ケーキ
買うて
きた
何焼いて
たん？
何でも
ないんよ
さあ
入り入り
寒かったやろ
びんせんに新聞の
活字を切りばり
してあって

こんにちは
上原さん
あ
こんにちは
そこのお宅の
奥さんよ
ふーん
あら
焼きいも？
いいわねえ
いえ　ちょっと
落ち葉を……
今思うと
めっちゃ
脅迫状
っぽかったのに
見てもその人
何も言わへん
かったんよ

火の元には気をつけて下さいねえ
近頃ダイオキシンがとか ススで洗濯物が汚れるとか
主人が町内会長なので苦情がねえ
そちらは店のお客さん?
たしか天涯孤独でお子さんもお孫さんもおられないんでしたよねぇ
え ええ…
友達です
聡子ちゃん……
あ あらまあ そうなの お友達ねえ
お若いのに偉いのねえ
仲良くしてあげてねえ
一人暮らしのお年寄りだし
私も気をつけてるけど町内会が忙しくて
言われなくても仲良しです
ご忠告どーも!!

さ
麦ばあ
寒いから
中入ろ
ピシャン
カララン
さっきのオッサンと
いい 麦ばあの
近所にはロクなの
おれへんな
な 麦ばあ
麦ばあは
ゆすられ
てるんじゃ
ないかな
Sisters Beer

映画でも
あるやんか
秘密を知られた
相手を殺しちゃう
とかさ
ブホッ

お姉ちゃん？
ゲホ
ゴフッ

コホン
あんなあ
聡子
警察ざたは
最後の手段に
しといて
麦さんも
大ごとにはしたく
ないはずだから
な

一応 地主に
相談してみたら？
診療科目
産婦人科
母体保護法指定医
外科
三井産婦人科

地主って……

へぇ～
キミ達知り合いだったのォ

こそっ
麦ばあ あたしこの人苦手
クス

何か言ったかな 聡子さん
注射するヨ？
いーえっ 何にも！

今日は時間があるし
家の方でゆっくり聞かせてよ

医者のフヨージョーやな
あ　適当に座るとこ確保してね
ススメ サイダー

先生ひとりでここ住んでんの？

仕事にかまけていつの間にか女房子供を失くしてね

飲む？
イラネ

裏の奥さんかあすこの土地を欲しがってたな
増築して息子と孫と同居したいとかヨメさんの話は出んかったが

それや！
麦ばあが借りたんを逆恨みして…
ぱん
そんなんやないでしょ
お隣とは会えばあいさつも──

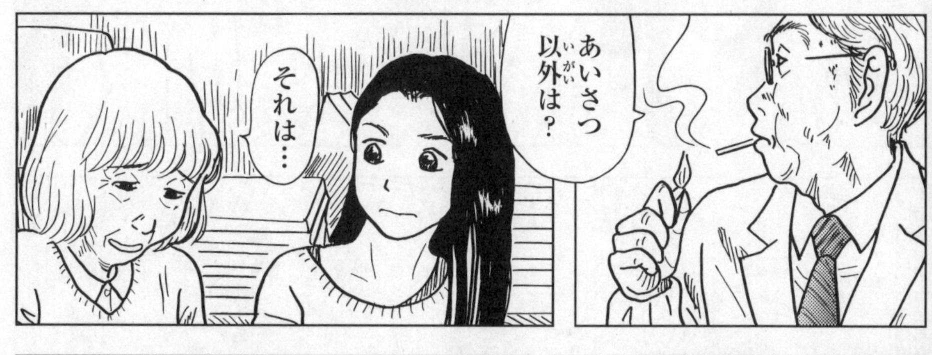
あいさつ以外は？
それは…

えーと電話機は
とりあえず警察に
待って下さい
この町でいざこざを起こしたら
弟がまた迷惑します
それだけは──

麦ばあの弟って
気難しいの？
姉がヨネ
弟が実ちゃん
実ちゃんて……
麦ばあの弟なら
もうじーさんやろ
変なのー
小学生みたい

他人にどう
思われても
構わへんけど
弟にだけは
これ以上迷惑
かけたくないの

きょうだい同士
お互い様やん
近くにいるなら
相談したら？

ホギャア
オギャア
ホギャア

ダンナには
このことは？

言えば絶対帰って来いって言いますから

帰ります
お騒がせしてすみません
こちらこそ散らかしてて落ち着かなかったでしょう

いえ
今ここにおったらいろいろ思い出してしまいそうで

オギャア
ホギャア
オギャアア…

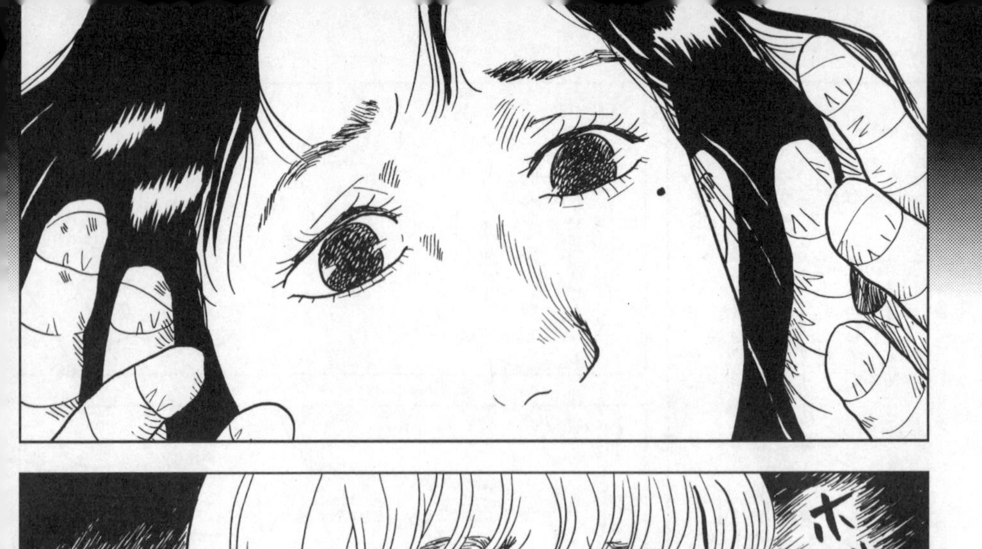

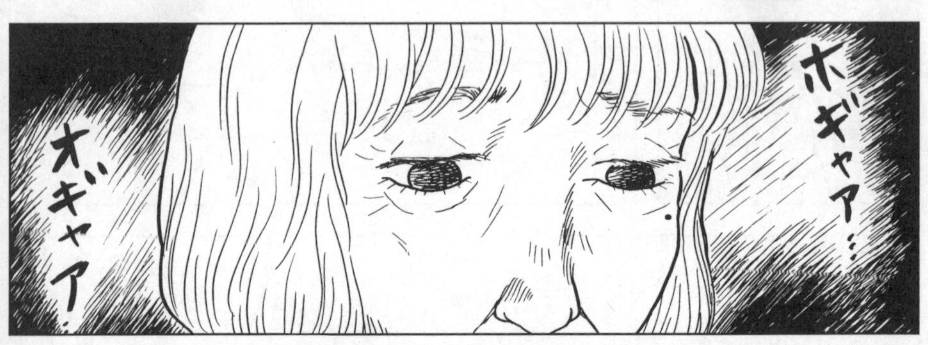
ホギャア…
オギャア…

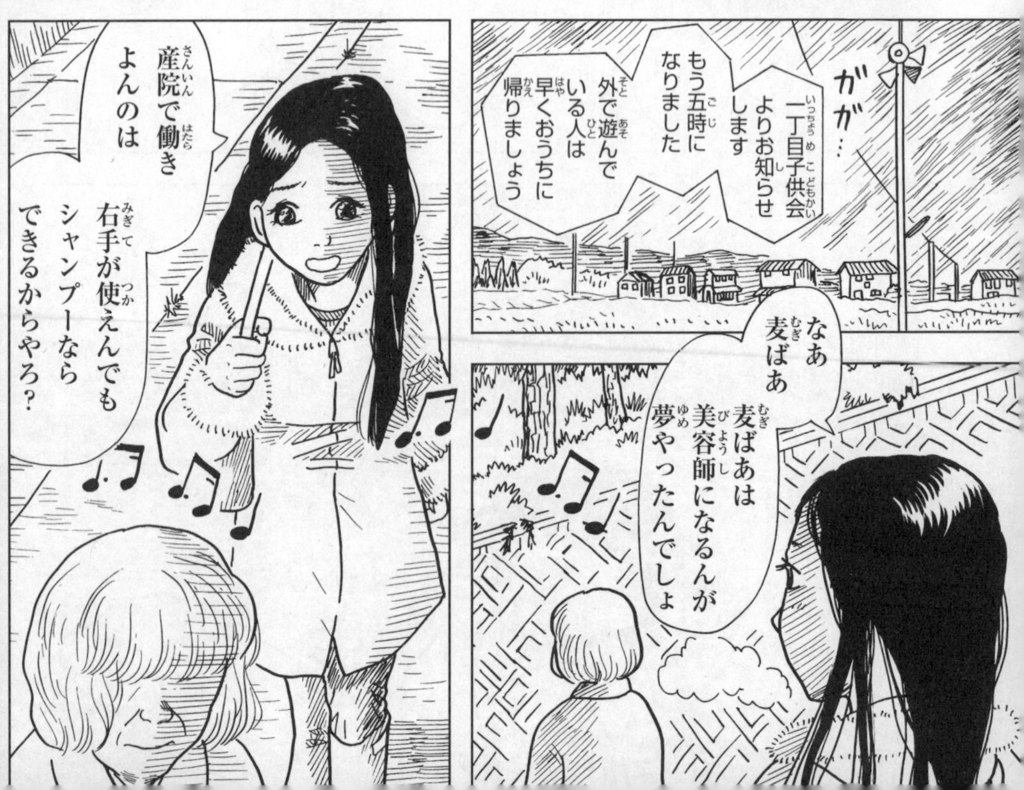
ガガ…
一丁目子供会よりお知らせします
もう五時になりました
外で遊んでいる人は早くおうちに帰りましょう
なあ麦ばあ
麦ばあは美容師になるんが夢やったんでしょ
産院で働きよんのは
右手が使えんでもシャンプーならできるからやろ？

産院で辛いこと
思い出すんなら
よそで働けば？
今のままじゃ
自分にバチを
当ててるみたい
やん！
そうじゃ
ないんよ
あなたにも
いつかわかる

婦人科
外科

麦さんは
よく働いて
くれるよ
大石了太
尾西賢一
太田原恵美
か
さ
た

ああ　この間の
タコうまかったな
うん……うん
それじゃまた

えっ
月？
ガシャ
ああ
本当だ
あの日も満月
だったよねえ

昭和九年九月 大阪 室戸台風から三日後
ドッ
ドッ
ドッ
外島保養院ばんざーい
我らが楽土万歳
万歳
万歳
万歳

ザ…
いい月ですね
三井先生
大石君
棺桶に……
こっちはまだ
空ですよ
死体がまだ
あがらん者も
ようけおるから
トータン
一杯どう
ですか
あいにく酒は
ないんで救援
物資のサイダー
ですけど

えー!?
こっ
こっ
患者の飲みかけやで
自分がすすめたんだろ それとも試したのか?
さっきも一人だけ万歳せえへんし
シュッ
やっぱ先生変わっとうで
まあな
わからなくなってね ここが我々のめざしていた楽園かどうか

僕らが説得して
ここに連れて
こなければ
百数十人も
死なせずに済んだんだ
野球も釣りも
できんと一生
座敷牢だったかも
そのかわり
野垂れ死んでた
かもしれへんし
「我々の楽園」ってのに
オレ達患者も含まれ
てるんなら
迷わず
最後まで
めざせば?
何かした者が
責められても
何もせんかった
やつと同罪には
ならんやろ

失敬
もう戻るよ
仕事を片付けて
今日こそ寝ないとね
ザク
ザク
あなたは仕事と
心中なされば
いいんですわ
病院と患者さんが
何より大事なん
でしょう
我が子を
見殺しに
する位に
とーたん
とーたん

結局 僕は
誰も幸せに
できんのか
ねぇ
患者も
家族も――

12 1996

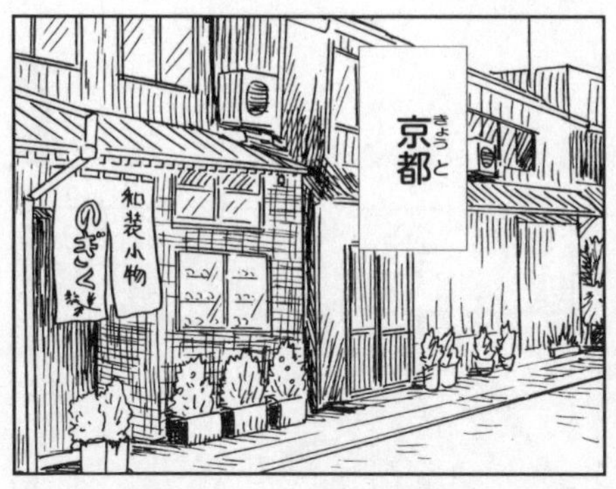
京都
和装小物
のぎく

嫌がらせ？
ようあることですやん
どないもなりまへんがな

私は麦の世話係やおまへん!!

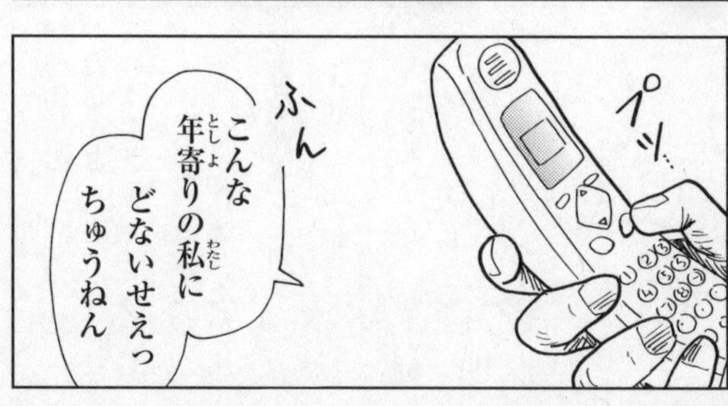
プツ…
ふん
こんな年寄りの私に
どないせえっちゅうねん

は一……
つげぐちなんてするもんやないなあ

いとはん お茶が入りましたえ

ずー……
パチ
パチ

トメはみなし子になって 面倒みる者もおらへんのに よう一人で生きてこれたなあ

伊勢田屋のだんさんとごりょんさん そしていとはんがいてくれはったから
自分以外の誰かのためならがんばれるもんですよ

卒業論文
そのころ
ライゼーショ
電子情報学科
小林恥子

あー 名前まちごうたっ

お姉ちゃんが嘘教えるからやで
4歳のイケイケなアタシに！
グシャ
イタイケやろ
もう時効や怒る暇あったら手ぇ動かし

何やこの文章小学生か？
こんな作文百枚でこの子を社会に出してもええんやろか
私この子の育て方を間違えたんかな
だいたい美加さんが甘やかすから
お姉ちゃん心の声が外にもれとうで！誰が小学生やねん

もおイヤや
コラ

は－…
ほんまにあんたって子は世話がやける……

いつもありがとね
お姉ちゃん大好き

……聡子

あんたはそういうことを軽々しく口にできるんが唯一のとりえやな
えー!? ほめるんかけなすんかどっちやねん
ホラ急いで!
十時〆切やろ
ねむ…

自分以外の誰かのためなら
がんばれるもんですよ

私が親じゃなければ
コウちゃんは苦しまなくて済んだ
どこか別の親から生まれて幸せに暮らせた
私さえ生まれてこなければ…
産んどいて捨てられるぐらいなら
最初っから
生まれん方がよかったわ

だから私は——

第25話 麦ばあを励ます会

ひゃっほう!!
麦ばあ!
終わったで卒論!

麦ばあ?
あ
聡子ちゃん
さっ

これ…
またやられたん!?

だから警察にって言うたやんか
こういうのはほっとくとエスカレートするんやで

ゴミ増えとうやん
片づけるからええねん
よくないよ!タチの悪い嫌がらせやん
ザッ
ザッ

やば…
おどかしすぎちゃったかな
平気なフリしてっけど相当参ってるはず

あたしもヒマになったし また時々くるよ
何かあったらすぐ連絡して
ガシャ

犯人め…
見つけたらブッ殺す!

死んだ子供のことずっと引きずっとん? 何十年も
バッカみたい
水子地蔵に謝りながらひっそり生きてる
お人好しのばーさんに
何でこんなことするねん

そないしょげてたら相手の思うツボやで
ノラ犬にウンコされた位に思わな

…ノラ犬のウンコですって？
三井先生が甘い顔するからつけあがるんやわ
ちょっとリリーちゃん
そんなもの食べんのよ！
フン
フン

身元調査してみてよかったわ
さっさと出て行ってもらわないと

千代ちゃんも変なやつに気ぃつけや

何されるかわかれへんで
ピキャー

じょじょうだんやで麦ばあ
おどかしてごめんな

いい？聡子
麦さんが落ちこんでたら気持ちをそらしてあげなさいよ
コレは千代ちゃんにな

千代ちゃんの声って高いよな
ボーイソプラノや
ピキャー
別の話題！

麦ばあのお姉さんってどんな人？もう亡くなったんだっけ

頼もしくて優しかったよ
小さい頃は口悪いしおっかなかったけど

あの頃姉が生きとったら
コウちゃんを育ててくれたかもしれへん

アハハいっしょいっしょ
長女ってみんなそうなんかなあ
アンタがそうさせてんねや！

コウちゃんって
この水子地蔵の
名前やんな

そんで
麦ばあの
生まれなかった
子供の

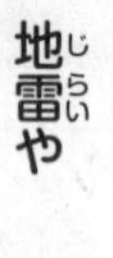

地雷や
聞けへん
わ……

あたしの
お姉ちゃんも
子供好きでさ
かわりに
育てるって
言うてくれ
たよ

けど 頼め
へんかった
あたしがイヤ
やったから

…そう

もりさげて
どないすん
ねん!
次!!

あんなぁ
卒業式で着物
着たいねん
持ってへんけど
麦ばあ
着付けとセット
やってくれへん？

えっとね
あ！コレ
こんなんがいい!!
ええ～!?

たぶん
麦ばあも
ほっとした
カァー
カァー
ガガ
二丁目子供会より
お知らせします
もう五時に
なりました
ワォー！
外で遊んで
いる人は
早くおうちに
帰りましょう

聡子ちゃん
寝てもうたのかー
ふあ〜あ…
…んあ？
徹夜して疲れたんやね
「家路」っていうたっけ
これ聴くと家に帰りたくならへん？
ザーッ
聞こえへんかったか
肩かけかけてくれてありがとね
帰るわ
あら

帰ったらゆっくり寝なさいね
…うん
いつもなら夕飯誘われるのにな

あれ
どないしたんこの段ボール
麦ばあも引っ越し？

カラランッ
すぐってわけじゃないけど
準備だけは早めにね

いつ？どこに引っ越すの
まだはっきりしてへんの

決まったら教えてよ
私がこっちにおるうちなら手伝うから
ふふ…
聡子ちゃんは優しいなあ

こんな
おばあちゃんと
仲良うして
くれて
聡子ちゃん
ほんま
ええ子や

ちが…

プシュー
姫路駅
姫路駅前
行きです

麦ばあは
いつも
見えなくなるまで
ずっと手をふる

ぷっ
変なの
二度と会えへんわけやあるまいし
ゴトトン

……まさか
ね

注意
カラン
ちりん
ちりん
ブロオオオ

ベル！
そっち違うやろ
ちりん
カラン
YAKI SASAMI!
へっ
へっ
どこ行くねんな
お前は
チリリン
カラン
コロン

ほら
「砂の器」という
映画
知らへん？
ああ
松本清張な

町内会長の
奥さんが
言うてたけど
そこの三井
産婦人科に来よう
理容師も　その
病気なんやて
えー!?
赤ちゃんに
うつったら
大変やん
そういう病気の
人って　どっか
施設に隔離され
とんちゃうの？

帰るで
りりん
キュウウ…

チリリン
カラン
ですから
ねえ
三井先生

妙な噂がたって
ご本人が傷つくと
かわいそうだから
治ったっていう
お墨付きを先生が
出してあげれば
ええでしょう
パチン

おお！
桜のつぼみが
ふくらんで
いますね!!

妊婦さんって
ささいなことも気に
なるんですよォ
麦さんは健康
だって証明して
あげないと

あー　健康は
大切ですよ
お宅のリリー
ちゃんも　もっと
自力で散歩させる
方がいいね
だって　地面は
バイ菌でいっぱい
なんですよ？

そういえば
リリーちゃんは
ウンコ食べる
癖は治ったん
ですか？
私はそっち
のほうが
心配ですよ

とにかく！
ご希望なら
町内会便りに
載せますから
キャン
検討して
あげて
下さいね
散歩の途中
でしたわ
失礼します
フン

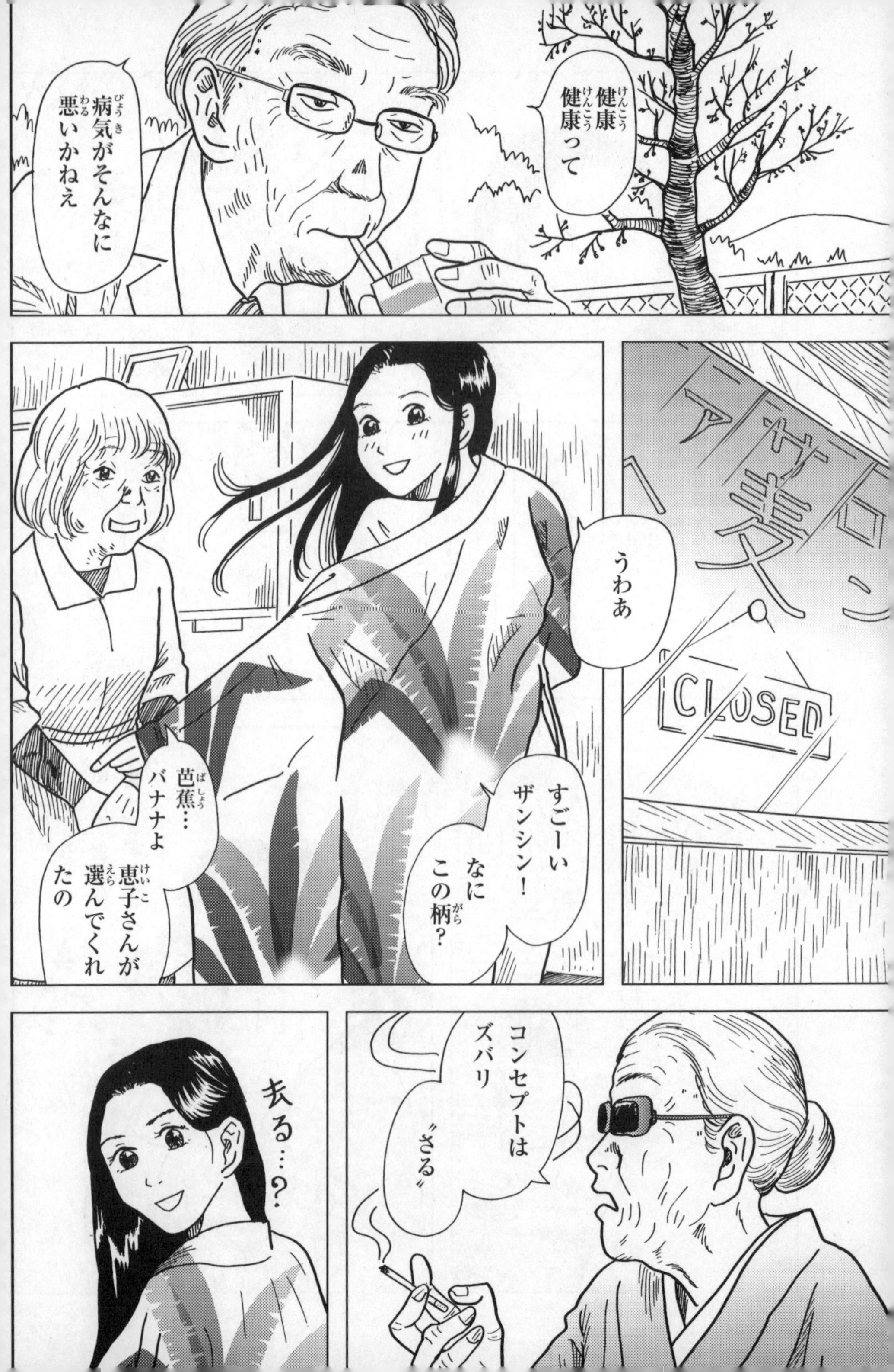
健康健康って
病気がそんなに悪いかねえ
うわあ
CLOSED
すごーい ザンシン！
なに この柄？
芭蕉…バナナよ
恵子さんが選んでくれたの
コンセプトはズバリ〝さる〟
去る…？

聡子ちゃん…
ホレ　そない　キャッキャ　キャッキャ　さわぐやろ
猿って何やねん　恵子ばあ
げとはん…

ねー　麦ばあ　恵子ばあが昔　呉服屋の看板娘　だったってほんま？
そやで　今は　トメさんと　和装小物の　店を　してはるよ

アハハ
頭だけ完成!!
パシャ
ふー…

カラララ
聡子　仕度　できたん？

うーん、タオル　もっと　巻かんと
最近の娘さんは腰が　細うおすからなあ
お姉ちゃん
ママは仕事やし　卒業式に父兄　なんて恥ずか　しいから
いいっつっ　たのに

父も卒業式を見に来るんです
鏡♪ 鏡
聡子には内緒ですけど

おおっ別人！
馬子にも衣装
ザッ
見えへんのに何で分かるの
心の目や

麦ばあ一緒に写真撮ってもらおう
え…ええよ私は
何で？タマシイ抜かれたりせえへんよ

ええの
ほんまに

パチ
パチ
パチ
パチ
短い間だったけど
いろいろあったな

へえ聡子県外に？
オヤジのコネで姫路に就職すんのかと思た
地元にはおり辛いやろいろいろあったし
聞こえていますが
いろいろって何ですか？

ガ
卒業生の皆さん
間もなく謝恩会です
講堂に――
謝恩会か…
聡子

お姉ちゃ…
ぐわっオヤジ!?
お父様とお呼び!

CLOSED

乾杯!

えー本日は――
私のためにお集まり頂き
ピキャ
聡子何言うとん
「麦さんを励ます会'97」やで

え
ええ!?
いえあの

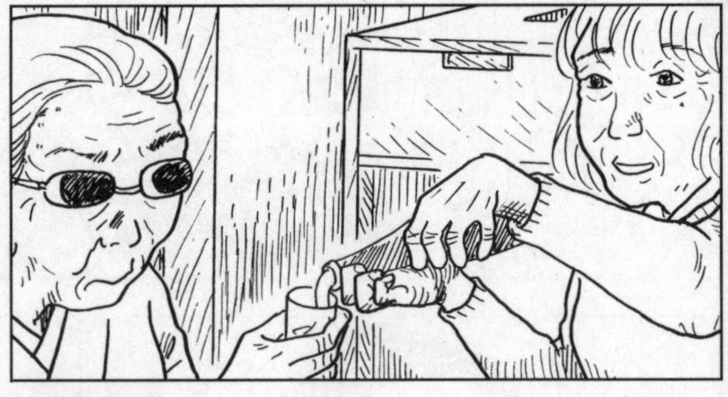

麦さん
もちょっとつめて

パシャッ

あははは

酒(さけ)飲(の)め
麦(むぎ)ばあ！
し…
しおりさん
飲(の)みすぎ

ホラ
のんで
のんで
えー

教(おし)え子(ご)が見(み)たら
びっくりするでぇ
しおり先生(せんせい)

聡子がここに入りびたるのがわかるわ
なんか楽やもん

カラン…

関係ないやからは放っとけばええ
責任もてへんなら他人の人生に口をはさまんといてほしいわ

ですよね!
うむ。

お姉ちゃんも子供のことで
周りからいろいろ言われとんかな

今夜はとことん飲むぞお
禁酒なんかクソくらえや
いっく

何が「今日は営んで下さい」よ
あ、似とる
そうそう都合よくいくわけないでしょ
あのヤブ医者!
プ

あの三井先生が不妊治療!
ひゃっ
ひゃっ
パフ
パフ
そらおかしいわ
なあ麦
いとはん…

でもさ
好きでやって
へんでしょ
あたしにも
説教臭いこと
言うてたし

次 来る時は
お産でね

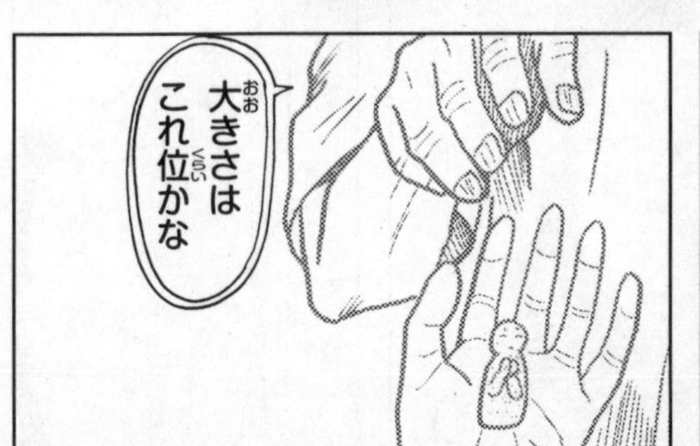
大きさは
これ位かな

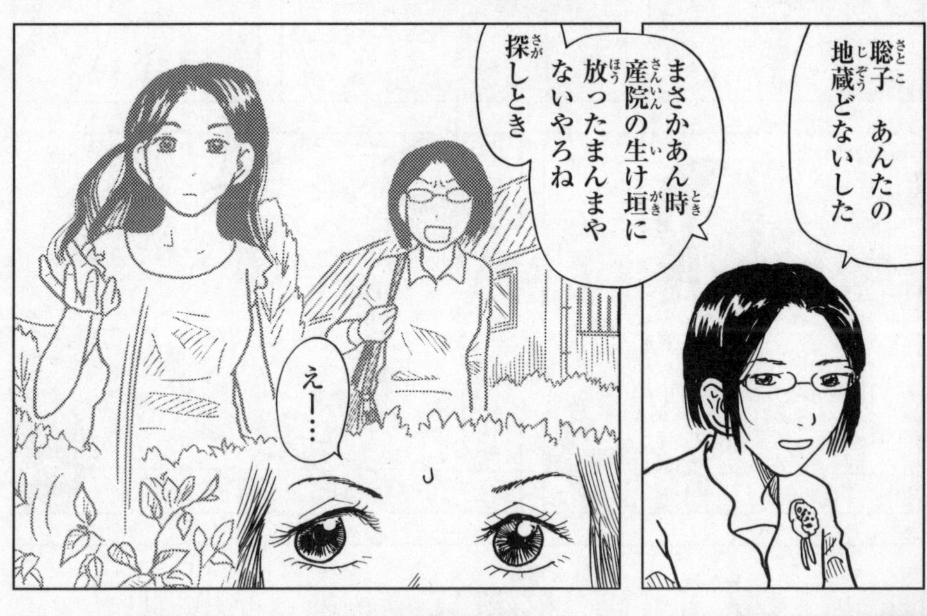
聡子 あんたの
地蔵どないした
まさかあん時
産院の生け垣に
放ったまんまや
ないやろね
探しとき
えー…

粗末にしたら
あかんで
あれは
あんたの
分身や
何それー!?

ムリやで あんな小さいの
この位の大きさならともかく

――まさか これも実物大…？

麦ばあ コウちゃんなんて名前つけたら いつまでも忘れられへんやろ

聡子ちゃんもうちの夫と同じこと言うんやね
忘れろって

死ぬまで忘れへんよ
死んだらやっとあの子に会える

どんだけ辛い
ことでも
忘れるのがええ
とは限らへんで

な
なんか
しんみり
しちゃったね
せっかく
「麦ばあを励ます
会」やのに

年寄り同士
昔話に花
咲かせれば?
ホラ
例えば
――

ぐーぐー
ぐーぐー

何で麦ばあは
この年まで
こんなに死んだ子に
こだわるのか――
とかさ

何で
麦ばあは

ダンナさんと何で一緒に住まへんの？
麦ばあはダンナのこと許してへんのでしょう

—ほお なかなか鋭いやん

許すなんてそんな了太さんが悪いわけやないんよ
ぐーぐー
くくー
悪いのは—

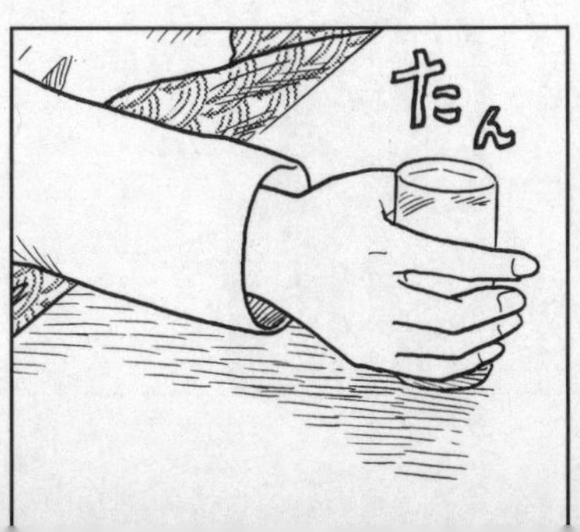
たん

飲もう
あはは
月が出た出た〜

さリのよいよい♪

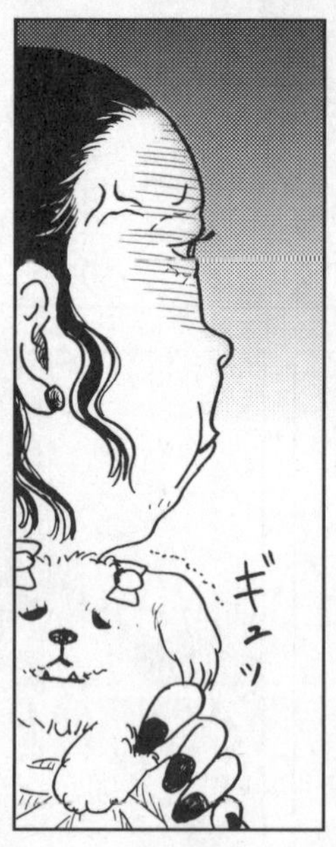
ギュッ

一丁目まで歩きましょうリリーちゃん
またゴミを持ってきて
あの人達に身のほどを思い知らせなくっちゃ

お姉ちゃんがそない飲むなんて思わんかった
実家では飲まへんかったやん
お父さんや美加さんに言えへんやろ子作り中だから酒断ってますとか

お姉ちゃん

おしっこ
ひとりで行けるやろ

ザーッ
ガチャ
うーい飲みすぎた
キャワワン
キャワワン
ん？
ちりん
カラッ
コロン

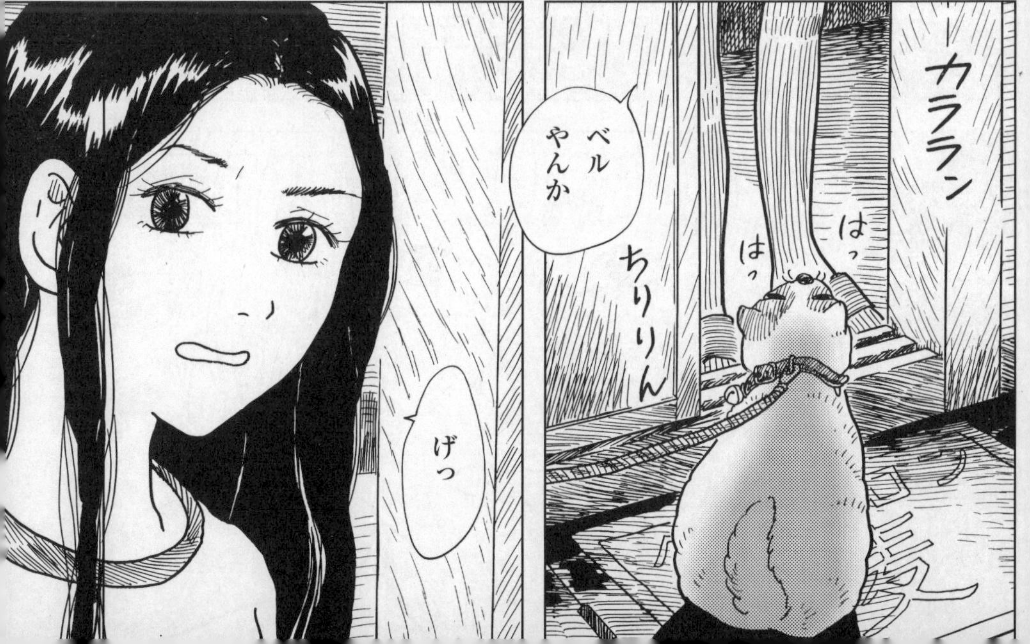
カララン
はっ
はっ
ちりりん
ベルやんか
げっ

店の前にゴミまいたんやっぱりあんたか

何の話や
ガラの悪い店員やな
俺はここに用があって来た

店員じゃねーよ
何や用って
聡子ちゃん
誰か来はった?

サロン
カット
パーマ
シャンプー
OPEN
だい わ
第26話
ふたたび

何や お客か
今日はもう 店じまいだから 明日また 来てよ
客やない

断りもなく 島を出て この町に 店を出して
チラシまで 配ったり されたら 迷惑や
あんたは 死んだはずの 人間やろ

ピキャー…

……ごめんね 実ちゃん

実ってたしか……
じゃあこのオッサンが
麦ばあの弟？
死んだはず
…って

近所でも
噂になっとう
おとなしく
島におれば
ええものを

もうじき
引っ越すから
安心して
実ちゃんに
これ以上迷惑
かけへんよ

何で？
麦ばあが
何したって
いうの
きょうだい
なんやろ⁉

ええんよ
聡子ちゃん
実ちゃんは
悪くないの

何も
知らんくせに
関係ない者は
ひっこんでてくれ

何も知らんし
関係ないし
他人だけど！
あんたより
よっぽど
身内だもん！

ふ……
困った子……

はー、さむっ
お姉さん
三井先生に相談するよう言うてくれはったんやて？

先生の職歴を伺ってたので
警察より適任かと

ござる……いや
妹さんがあんた位
利口なら
アホな男に
ひっかからん
かったやろうに

言わんといて
やって下さい
あれでも
自慢の妹
なんです

しかし困り
ましたね
麦さんを
励ます会
なのに

ごめんな
実ちゃん
ごめん……

たとえ弟でも
麦ばあを
いじめたら
許さへんで！
人を指さすのは
失礼だと学校で
習わんかったか？

もうええの
ほんまに

二度と俺の
目の前に
出てくるな
話は
それだけや

こら！
やめんか
バカ犬!!
ぐるぐる

こんなとこで
用を足すな！
ヒシャク、
あんな風に
つかうのか…

そら
帰るで
バカ犬
バカバカ
言うやつが
バカですぅ
フン！

キュウ〜ン
ちりりん

ベル!!

Wan t!

お前お利口やなあ
飼い主とちがって
うっしゃっしゃっ
ハフハフ
返せ
バカ犬でもうちの犬だ

ベルは「うちの犬」なのに
麦ばあは「うちの家族」じゃないの？
へっへっ
へっへっ

実ちゃん……あのね
最後にひとつだけ一生のお願い

ぐっ……

ふわさ

無理言うてごめんな

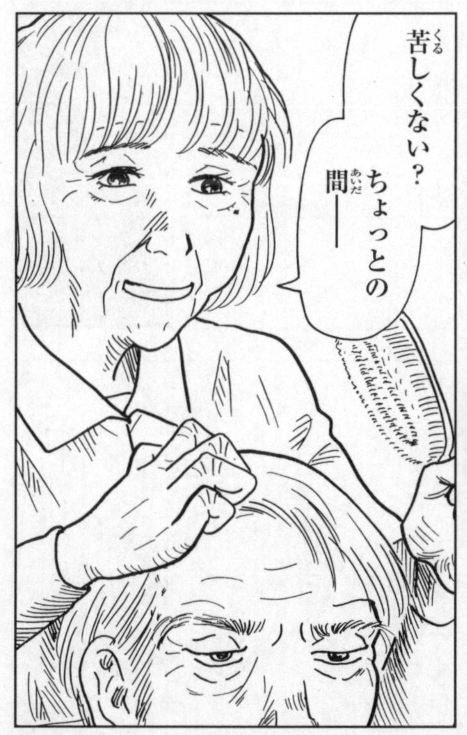
苦しくない？
ちょっとの間――

これでもう会うことはないさかい

ちょっとの間(あいだ)
辛抱(しんぼう)してな

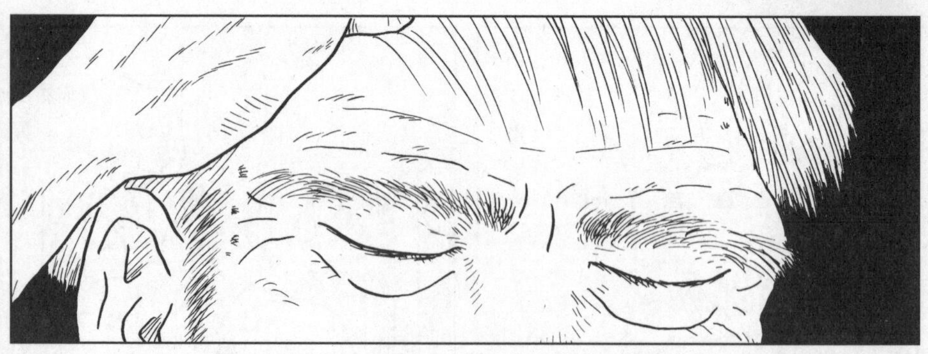

さっさと
済(す)ましてくれ

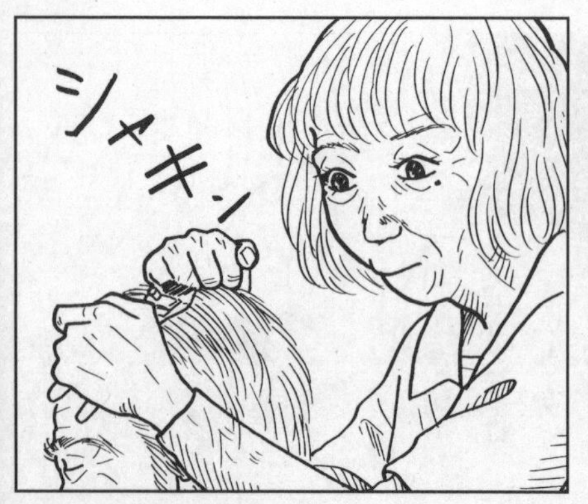
シャキン

シャキ
シャキ
シャキ
シャキ
右手が使えへん？
刃物は皆右利き用やで
姉ちゃん理容師なめとんか
やめときやめときその手じゃムリー
お願いします
男性の髪もあたれるようになりたいんです！

カナエさんは自分から縁を切って出て行かはってん
そうせな一家全員食うていかれへんようになるさかい
あんたはようわかっとうな
なあ実
麦は死んだんや
ガシャッ
あんたらの母親と同じように

麦
療養所を出るんはええけど
実に連絡したらあかんよ
これ以上迷惑かけたらあかんよ
私らは外の社会では
とうに死んだ人間なんや

ザザ
早苗さんは心配なんよ
シャキ
あんたが弟に会うことで見放されたと思い知ることが
シャキ
シャキ
カシャン
ごめんなあ実ちゃん
あんたのお弁当また落としてもうたわ

麦姉(むぎねえ)はそそっかしいなあ
シャキ
シャキ
シャキ
シャキ

美容師になっても実ちゃんの頭は特別に半額で刈ったげるな
ええー
麦姉身内から金とる気?
タダより高いもんはないねんで
何やそれ
シャキシャキ
シャキ

シャキ
シャキ
シャキ
麦ばあが床屋してるとこ
はじめて見た

シャシャ

ザッ
ザッ
シュッ

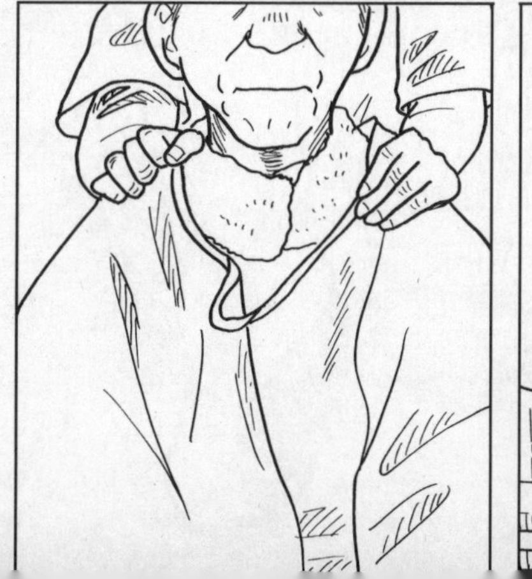

おつかれさま
でした

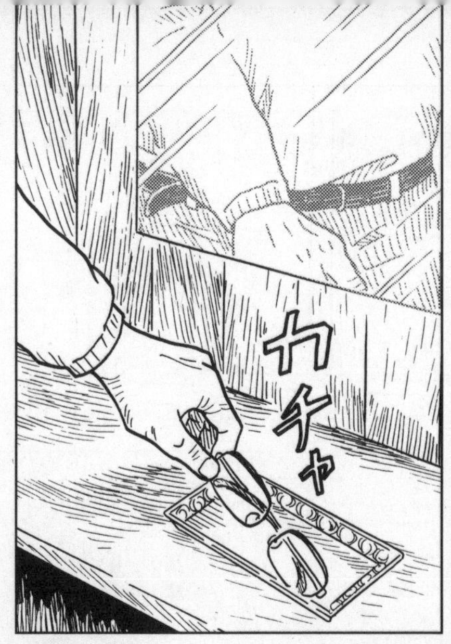
カチャ

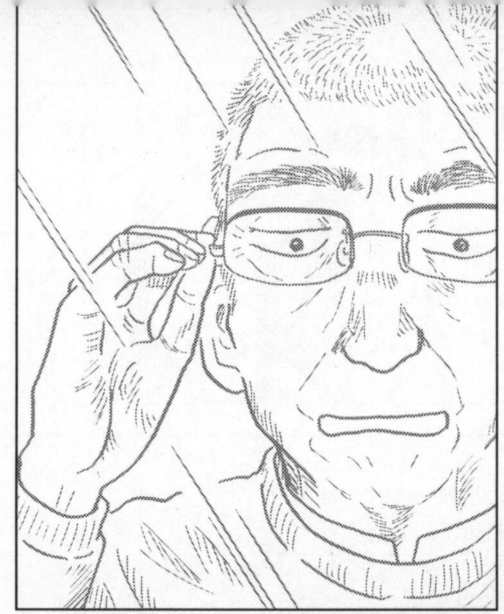

「自分、不器用ですから」とか言いそう

どないしたん？

ぷーっ
ム所がえりみたい
酔っ払いですんで
どうかお構いなく

ピラ…
お金なんて—
オッサン値切んなや—
ヒック
カットは二千円やで
OPEN

身内は半額なんやろ

……ありがと
ありがとう
実ちゃん
早うせんか
バカ犬！
キャワワン
ちりりりん
キャワワン
カラン
ヘッ
ヘッ
はーっ
はーっ

キュウン
おりちゃダメ！
ガッサ
ガッサ
お外はバイキンで一杯なのよ
フン
フン
可燃ゴ

……あんたそのゴミ
ビク
どないするつもりや

ワン
キャイン
きゃあ

きゃーあああ
ドサ
ドサ
何やアレ

ホー
BELL
ホケキョ

へぇっくしょい
バササッ

ビーッ
大丈夫？
まだ寒いのに五分刈りなんかするから

居眠りしとう間に勝手に髪型決めてまうなんて半額でもひどいで

私なら文句言うてタダにしてもらうわ
……

タダはあかん
タダより高いもんはないんやで
へっ
へっ
ちりりん

東京

オフクロネコ
引越
オフクロネコ
引越

あ お姉ちゃん？
写真とフレームありがとね

貴重な一枚やで
麦ばあ 写真嫌いやもん

写真とると寿命が縮むとか思とんちゃうの？
じゅうぶん長生きだっちゅーの

それで聡子荷物はもう片づいたん？
仕事が始まるまでには片づけときよ

だぁいじょうぶ
やて心配性やな
ほな
ダーリンに
よろしう
言うといて

うちのダンナは
ともかく
ぐおー
ぐおー
あんた
お父さんに
あいさつ
したん？

えー
何で
オヤジに

GWでも
盆でもええ
会えるうちに
会うときよ

いつか言おうと
思うてても
死ぬまで
言えへんことも
あるんやで

うん
いつかね

ピキャー
あれえ
今猫の声せんかった？
千代ちゃんみたいな声
ピキャーッって
えっ
テレビじゃない？

ほなな
夜ふかしせんと早よ寝えよ
ピキャーーッ

ピッ
はー…危ない危ない
たっ

聡子が落ち着くまで内緒なのに
カラカラン
CAT FOOD

困ったお姉ちゃんや
あたしこう見えてもしっかり者
でっ
がっ
ガシャ
あーあ
……あ
内用薬
三井産婦人科医院

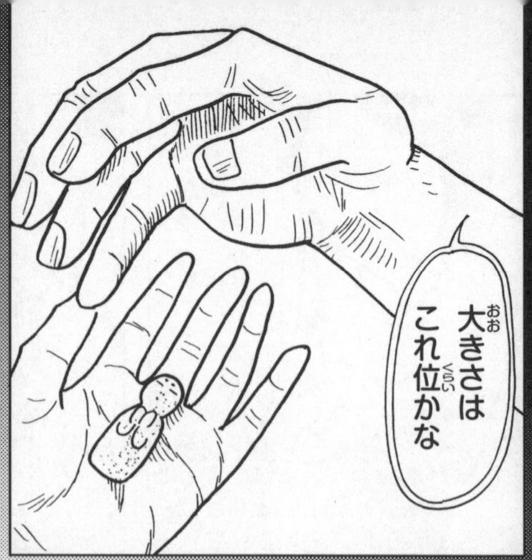
大きさはこれ位かな

そんなん持ってたらいつまでもひきずらなあかんやんか

粗末にしたらあかんで
あれはあんたの分身や

でよー
何それやばくね？
ガサ
ガサ

歩道橋
広告募集
広告募集
玉ちゃん

は
社宅駅から遠すぎ！

ピンポンパンポン
子供会からお知らせします
もう五時半になりました
外で遊んでいる人は
暗くなる前に帰りましょう

最終話(さいしゅうわ)
ただいま

みんな元気かな
よし!

朝イチで出れば
日曜の晩には帰ってこれる

♪まーどいーせんーー♪
カン
カーン

プァアン

ひめじ
ひめじ
です

ブオオ

工事中
ご迷惑をおかけしますが、何卒ご理解ご協力をお願いいたします
ガシャ
麦ばあ？

ピンポーン

カチャ
聡子

お姉ちゃん!
麦ばあが
麦ばあが
——

ピキャー!!

千代ちゃん
何でここに
おるん?

お姉ちゃんは
麦ばあがどこに
引っ越したんか
知っとんやな

何で
麦ばあは
あたしに
だまって
行って
もうたん

聡子……
今日 時間
あるかな

ゴオオ

黒井山
グリーンパーク

慣れない運転は
疲れるな
ちょっと
休もう

ザーッ

ハンカチ
忘れたから
貸して――
お姉ちゃん

お姉(ねえ)ちゃん
いつから
タバコ――

やめたの
不妊治療(ふにんちりょう)
バン

見て
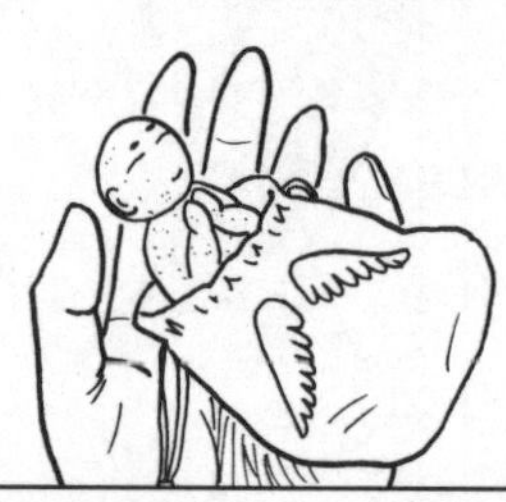
これ……
あたしんじゃないよね
あれもっと小さかったもん
何でお姉ちゃんが水子地蔵を

流産したんよ
四年前に

赤ちゃんの成長が遅くて
生まれても呼吸ができないから数分で死んじゃうって
検査でそう言われたの

やっと授かった子供
なのに何で……って
お腹の中で死んで
もうた時 悲しい
けどほっとして
その後 不妊治療
してても また
同じ事やないかと
怖くなって

妊娠してないって
わかるたび気が
楽になったよ
――ひどいよね
罰が当たった
とも思った

産院で辛いこと
思い出すんなら
よそで働けば?
今のままじゃ
自分にバチを
当ててる
みたいやん!
そうじゃ
ないんよ
あなたにも
いつかわかる

しおりさん
よくがんばり
ましたね
小さくて
かわいい
女の子ですよ

三井先生は
怖くないよう
きれいにくるんで
くれたのに
あの時
何で

——何ですぐに
抱いてやれん
かったんやろ
冷たかった
んや
すぐ抱いたら
ぬくかったかも
知れへんのに

ダンナは忘れろって言うし
あんたにも周りにも妊娠のこと言いそびれてたから
この子のこと話せるのは三井先生と病院の人だけ
だからあそこにいる間だけは私は
母親になれた
麦ばあも?

治療をやめてもどこにおっても私はこの子の母親や
そう思えるようになったからあの病院を卒業するの

私の都合を無視して勝手に受精卵になっただけやん
あたし自分のことばっかりで子供のことなんかこれっぽっちも考えてなかった

だあーーっ
あたし最低!!

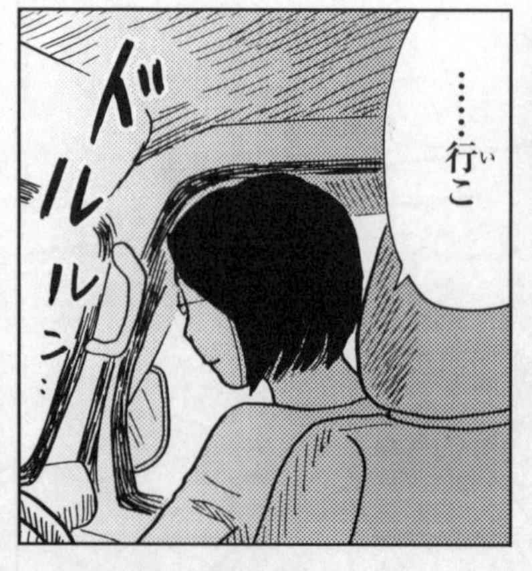
……行こ
ドルルルン…

麦ばあも
お姉ちゃんも
母親だったんだ
ザザ…

あたしには
そんな資格
ないよ

国立療養所邑久光明園

ほな
了太さん
後でまた
来るわな

麦ばあ
聡子ちゃ……

お別れも
言わんと
おいてけぼりに
される身にも
なれよぉ

産んどいて
捨てられる
ぐらいなら
最初っから
生まれん方が
よかったわ
だから
私は――

だから
私は
母親を
恨んで
母親に
なることを
拒絶して——

あん時
私も
ぽん
ぽん
聡子ちゃん
みたいに言え
とったらなあ

何ブツブツ
言うとんねん
引っ越すなら
そう言ってよ

ザザ…

だまって療養所に戻るなんてずるいよ
病気だったことあたしが気にするとでも思った？

聡子
麦ばあはあんたが好きだからこそ……

聡子ちゃん
全部話すわね

麦ばあが
ようやく
話してくれた
子供を
亡くしたことで
お母さんを責め
お母さんを
死ぬまで
許せなくて
そんな自分を
ずっと責めて
きたことを

中絶したって
だけで
あたしとは
ぜんっぜん
ちがうよ

…ちがわ
へんよ

これ 麦ばあの
ダンナさんが
作ったんやて
えっ

地蔵ばっかり
たくさんあっても
困るさかい
三井先生に
もろてもろ
とるんよ
備前の焼物
陶器
美術
美術
美術

世間の目のおそろしさ
守られて暮らしてきた人にはわかりません
必要ないのに何十年もとじこめられてさ
そこから出て来た麦ばあってすごくない？

こっから出たことない言うても今は旅行も外出もしょっちゅうやで
昔は脱走したもんやけどな

……ここで暮らすの
いやじゃないですか

若い頃はともかく
今さらなあ
ぷは、

了太さんこれお酒!
ちっ
これじゃ麦ばあ目え離されへんなあ

大石さーん夕食ですよ
あ
それじゃそろそろおいとまを

聡子
ぽん

来てくれてありがとな
短い間だけど外で暮らしてよかった
あなた達に会えたから
あ
「家路」

これ聞くたびに
麦ばあのこと
思い出すねん
店の近くで夕方
流れてたものね

目の見えん
人達が道を
まちがえんよう
たえず音を
流しよんのよ
昔は風鈴で
今は赤とんぼや
夕焼け小焼けや

はは…
家に帰りたく
なるような曲
ばっかりやな

いざや
楽し
まどいせん
──か

まどいせんっ
て何?

家族で団らんしましょう——ってことや

家族かあ
あたしは当分一人暮らしやな

一人だけど一人やない
あんたもお母さんなんやで

……あたしはあかんよ
お姉ちゃんや麦ばあとはちがうもん

万能な人はおらんさかい
人は必ずまちがえる

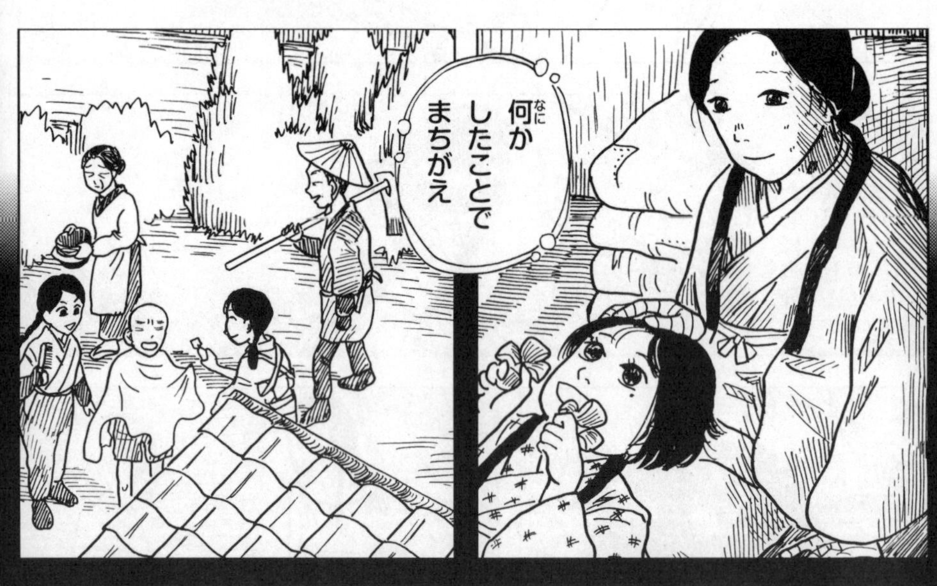
何かしたことでまちがえ

何もせんかったことでまちがえ

知らんかったり
できひんかった
ことでまちがえ
取り返しの
つかへんことも
あるけど
謝るだけが
償いやない
いつも
どこにいても
思うこと
ならできる

一番ひどい仕打ちは
忘れてしまうことや
あたしにはムリ！
一生ひきずるなんて辛すぎる
べっちょない！
辛いのは
あんたが優しいからや

優しいのと
ちがう
あたしが麦ばあを
かまうのだって
自分が
年とった時
麦ばあみたいに
しょんぼりして
たらイヤだから
麦ばあは未来の
あたしだから

診療科目
産婦人科
母体保護法指定医
外科
三井産婦人科

ザッ
ザ…

たしかこの辺やったな

ホギャー
ホギャー
びくっ
ガサ
放っとくと寝覚めが悪いさかい
ふー…
びっくりした
産院やもん赤ん坊おるわな

探し物かね
三井…センセイ
君が探しているのは臨月の胎児かそれとも妊娠中期
それとも妊娠初期の胎児かな？

病室で花見ができるね
それも当院の売りだよ

中絶も？

赤ん坊殺すのがイヤならせんかったらええやん
あたしが言えた義理やないけど

やめないよ
必要とされるかぎりはね
BROTH
COF

ふっ
こないブサイクやったんかな
フー…
そういえばまだ聞いてへんかったよね
これ……いや あたしの
――…
はて?
最近 耳が遠くてねえ

あたしの
こ……子供！
男だった？
女だった!?
くっ……

何やねん
何笑っとんねん!?
いや失敬

この仕事をやっててよかったよ
人は学ぶものだねえ

水子地蔵に
あたしは
「小麦」と
名づけた

あたしの
子供なら
麦ばあの
ひ孫みたいな
ものだから

東京

子供会からお知らせします
もう五時半になりました
外で遊んでいる人は
暗くなる前に帰りましょう

カチャ
コツ
コツ

SISTER
BEER
ふー…

ただいま
あ あたし 今大丈夫?
うん さっき帰ったとこ あのさ 連休に岡山行かへん?
会ってほしい人がおるねん
えー 親じゃないよ 友達 ちょっと年くってるけど
アハハ…

あとがき

私は以前、兵庫県の職員でした。福祉事務所に配属され、邑久光明園に在園する兵庫県出身者に故郷の餅を届ける事業で療養所を訪れました。そこで知り合った方と退職後も交流を続け、ハンセン病を題材にした漫画を描きたいと思うようになりました。

二〇〇五年、蘭由岐子先生の『「病いの経験」を聞き取る　ハンセン病者のライフヒストリー』（皓星社）を読み、その思いをつづったファンレターのようなものをお送りしたところ、思いがけずお返事をいただき、ハンセン病にくわしい編集者の佐藤健太さんを紹介してくださいました。お二人のご協力とアドバイスなしにこの本はできませんでした。

本作中で桂子に療養所へ入所するようすすめる役人は私がモデルです。当時私が公務員だったら、法律で決まっているのだからと、悪気もなく入所をすすめていたかもしれません。誰でも間違う可能性があり、過去から学ばねばならないということを、心の隅にとめていただけたら幸いです。

取材に協力してくださったハンセン病回復者の皆様、邑久光明園入所者自治会の屋猛司会長および皆様、青木美憲園長、牧野正直前園長、長島愛生園神谷書庫の駒林明代さん、打ち合わせ場所を提供してくださった海文堂書店の皆様、装丁をしてくださった小玉さん、出版状況がきびしい折に刊行を引き受けてくださったすいれん舎の高橋社長、この本を手にとってくださったすべての方に、この場をお借りしてお礼申しあげます。

二〇一七年十月

古林　海月

麦ばあの島 第4巻

2017年11月15日 第1刷発行

作・画 古林海月
監修 蘭由岐子
発行者 高橋雅人
発行所 株式会社すいれん舎
〒101-0052
東京都千代田区神田小川町3-14-3-601
電話 03-5259-6060
FAX 03-5259-6070
印刷・製本 亜細亜印刷株式会社
装丁 小玉文
企画・編集協力 佐藤健太
編集協力 青木悦郎

日本音楽著作権協会（出） 許諾第1710913-701号
ISBN 978-4-86369-512-2 / 全4巻セット ISBN 978-4-86369-513-9 / Printed in Japan